RENRONGRONG

　　我认为儿童文学作家最
快活的是：当小孩子很小的
时候爱读你的作品……等到
他长大后还是觉得你的作品
是有艺术价值的，思想是好
的，能给他帮助的。

世界上有大也有小，大也重要，小也重要

中国幽默儿童文学创作·任溶溶系列

 注音版

大大大和小小小 历险记

任溶溶/著

浙江出版联合集团　浙江少年儿童出版社

mù lù

目录

可爱的任溶溶爷爷

孙建江

如果不看介绍，你一定猜不出任溶溶爷爷的年龄。任爷爷是1923年出生的，算算，已九十高寿了。怎么样，没想到吧？任爷爷虽然年事已高，但身体健康，思路清晰，精神矍铄。最要紧的，他还是和原来一样风趣，和原来一样乐观，和原来一样哈哈哈大笑，和原来一样扯着大嗓门说话。呵呵，这样的老爷爷是不是很可爱？

中国幽默儿童文学创作
任溶溶系列

rén yé ye kě shì dǐng dǐng yǒu míng de dà zuò jiā　　tā
任爷爷可是鼎鼎有名的大作家。他
xiě de shū hěn duō hěn duō　　shǔ dōu shǔ bù qīng　　xiàng dà jiā
写的书很多很多，数都数不清。像大家
shú xī de　méi tóu nǎo hé bù gāo xìng　　　　yī ge tiān cái zá
熟悉的《没头脑和不高兴》、《一个天才杂
jì yǎn yuán　　　bà ba de lǎo shī　　　　　wǒ shì yī gè kě
技演员》、《爸爸的老师》、《我是一个可
dà kě xiǎo de rén　　　tǔ tǔ de gù shi　　　dà dà dà hé
大可小的人》、《土土的故事》、《大大大和
xiǎo xiǎo xiǎo lì xiǎn jì　　　dīng dīng tàn àn　　　dāng xīn xiǎo
小小小历险记》、《丁丁探案》、《当心小
yāo jing　　　dōu shì rén yé ye xiě de　rén yé ye hái shi
妖精》……都是任爷爷写的。任爷爷还是
yī wèi dà fān yì jiā　　dǒng sì zhǒng wài guó yǔ　fān yì guo
一位大翻译家，懂四种外国语，翻译过
ān tú shēng tóng huà quán jí　　　mù ǒu qí yù jì
《安徒生童话全集》、《木偶奇遇记》、
jiǎ huà guó lì xiǎn jì　　　cháng wà zi pí pí　　　yī suǒ
《假话国历险记》、《长袜子皮皮》、《伊索
yù yán　　　bǐ dé　pān dǎng dǎng　rén yé ye chuàng zuò
寓言》、《彼得·潘》等等。任爷爷创作
de zuò pǐn huò dé guo guó jì guó nèi dà dà xiǎo xiǎo hěn duō hěn
的作品获得过国际国内大大小小很多很
duō de jiǎng　tā chuàng zuò de zuò pǐn hái xuǎn rù le zhōng xiǎo
多的奖。他创作的作品还选入了中小
xué kè běn　pāi chéng le dòng huà piàn
学课本，拍成了动画片。

rén yé ye chuàng zuò de zuò pǐn　　yǒu de nǐ men de
任爷爷创作的作品，有的你们的

爷爷奶奶看过，有的你们的爸爸妈妈看过，有的你们现在正在看。这么说吧，任爷爷创作的作品读者成千上万，很多很多。他的书影响了几代读者的成长呢。

为什么任爷爷写的书那么受欢迎呢？

有小朋友说了，哈，这还用问，写得好看呗。

说得太对了。

任爷爷写的书的确很好看，亲切、自然、风趣、幽默，让人爱不释手，百读不厌，而且看完以后还促人思考、促人反省。这样的书，当然受欢迎了。

任爷爷说，他最开心的事就是和小

注音版
大大大和小小小
历险记

péng yǒu men zài yī qǐ jiù shì wèi xiǎo péng yǒu men xiě zuò
朋友们在一起，就是为小朋友们写作。

nǐ xiǎng zhè yàng de kě ài de lǎo yé ye shéi bù
你想，这样的可爱的老爷爷，谁不

xǐ huan a
喜欢啊。

hǎo wǒ bù duō shuō le dà jiā kuài kàn kě ài de rén
好，我不多说了，大家快看可爱的任

yé ye xiě de shū ba
爷爷写的书吧。

第一回

谁是大大大，谁是小小小

我想大家都知道有个叫格列佛的人，他到过大人国。他在大人国历了一通险以后，走了。

话说大人国里有一个人，他看见格列佛人那么小——在他看来格列佛当然小——志气却那么大，居然胆敢出洋探险，心想：我为什么不也出洋去探探险呢？

注音版
大大大和小小小
历险记

1

说干就干，在格列佛离开大人国以后不久，这个人坐上一只船，也出洋探险了。

他坐的船当然很大很大，要是不大，怎么坐得下大人国这个很大很大的大人呢？可是这么大一只船，在大洋上就像一片小叶子，大家也就可以想象出来，这个洋大到什么程度了。

大人国的这个大人坐在船上航行了一天，两天，三天，一个星期，两个星期，三个星期……这一天碰上风浪，大人国这个大人正在驾驶台上掌舵，在大洋上破浪前进，突然"哗"的一声巨响，一个巨浪从前方

2

向他的船上扑来,水像瓢泼一样泼
在他的船头甲板上,紧接着又"哗
哗"地向船的两旁退走。一转眼间,
船头甲板上水一点都不留,不过水
是一点都不留,可大人国这个大人向
船头一看:奇怪,船头甲板上那是
什么?

真的,船头甲板上那是什么?大
人国这个大人定睛一看,只见那里停
着一只小船。要问这只船有多小,反
正在他看来还没一个肥皂盒大。

而且不光是一只船,船上还
有一个人。既然船还没有一个肥皂盒
大,船上这个人就更小了。这个很小
很小的小人在这只很小很小的小船

3

上手忙脚乱，把船摆弄了半天，一
丁点儿办法也没有。因为这小船在大
船的船头甲板上搁浅了。这个很小
很小的小人只好从这只很小很小的小
船里跳出来。

大人国那个大人看见这个小人比
他见过的小人格列佛还小，小得多小得
多，不禁大为惊讶，就对他说："喂，小
不点儿，你是谁呀？"

那小人正在对着小船发愣，还
不知道自己到了哪里，到了哪块陆地
上，忽然听见有人像打雷似的那么叫
他，抬头一看，啊，原来是个人，像座
山似的大人，比他见过的大人格列佛
还大，大得多大得多。小人"噔噔噔"

4

地跑到他面前,把头抬起来,头顶都快
要弯到地上了,跟他说起话来。

长话短说,原来这个小人是格
列佛的朋友。怎么呢?我想大家也知
道,格列佛不但到过大人国,还到过小
人国,这个小人正是从小人国出来
的。他看见格列佛以后心想:我人虽然
比格列佛小,志气可跟他一样大,人小
志气大嘛,干吗就不能跟他一样出洋
探险呢?这么着,等格列佛离开小人国
后不久,他也坐船来航行了。

他航行了一个星期,两个星期,
三个星期,一个月,两个月,三个月
……这一天正好来到大洋的这个地
方,一个巨浪一掀,他的小船就随着

6

巨浪一起落到大人国的这个大人的这只大船的甲板上，搁浅了。

好，现在诸位一下子碰到了一个大人国的大人，一个小人国的小人。他们的名字叫做……哎呀，他们的名字可长了，比俄罗斯人的什么符拉基米尔·符拉基米罗维奇·符拉基米罗夫还要长得多。我想大家一定同意我的意见，记别人的名字是件挺费脑筋的事，何况是外国人的长名字。因此干脆，我就把大人国的这个大人叫做大大大，把小人国的这个小人叫做小小小，你们听起来省事，我说起来也省得像说绕口令似的。

这个小小小认识了大大大很高

7

xìng gēn tā shuō qǐ huà lái　shéi zhī dà dà dà yī tīng tā
兴，跟他说起话来，谁知大大大一听他

de huà jiù bǎ méi tóu zhòu qǐ lái　yào zhī dào xiǎo xiǎo xiǎo
的话就把眉头皱起来。要知道小小小

shuō de shén me huà　dà dà dà tīng le yòu wèi shén me zhòu
说的什么话，大大大听了又为什么皱

méi tóu　qǐng kàn xià yī huí
眉头，请看下一回。

第二回
dì èr huí

小小小勇斗大老鼠
xiǎo xiǎo xiǎo yǒng dòu dà lǎo shǔ

　　话说大大大的大船上落下了小小小的小船。小小小认识了大大大很高兴，对他说："认识你，真荣幸，我们做个朋友吧。你的船救了我的船，将来有了什么事，我也会帮你忙的。"

　　这本来是两句好话，可是大大大一听不乐意了。

　　"你帮我？瞧你小成什么样子，

9

néng yǒu shén me yòng ne　　wǒ zhè me dà　　hái yòng de zháo
能有什么用呢？我这么大，还用得着

nǐ zhè me gè xiǎo xiǎo xiǎo xiǎo xiǎo bu diǎnr　　bāng máng ma
你这么个小小小小小不点儿帮忙吗？

hng　　dà dà dà zhòu qǐ méi tóu　　liǎng yǎn cháo tiān　　chōu
哼！"大大大皱起眉头，两眼朝天，抽

zhe yān dǒu　　bù xiè yī gù de shuō
着烟斗，不屑一顾地说。

nà hǎo　　wǒ zhè jiù zǒu　　xiǎo xiǎo xiǎo kàn jiàn dà
"那好，我这就走。"小小小看见大

dà dà zhè me kàn bu qǐ zì jǐ　　jué de gēn tā tán bù dào
大大这么看不起自己，觉得跟他谈不到

yī kuàir　　zhuǎn shēn jiù huí qù　　bǎ tā de xiǎo chuán wǎng
一块儿，转身就回去，把他的小船往

dà chuán biān shang tuī
大船边上推。

wèi wèi wèi　　nǐ zhè shì gàn má ya　　dà dà dà
"喂喂喂，你这是干吗呀？"大大大

jiàn xiǎo xiǎo xiǎo qì chuǎn xū xū de máng de bù kě kāi jiāo
见小小小气喘吁吁地忙得不可开交，

shí fēn qí guài　　wèn tā shuō
十分奇怪，问他说。

wǒ bù xiǎng dǎ jiǎo nǐ　　wǒ yào huí dà yáng shang
"我不想打搅你。我要回大洋上

qù le
去了。"

nǐ rén shì zhè me xiǎo de　　yī gè　　chuán shì zhè
"你人是这么小的一个，船是这

me xiǎo de yī zhī　　zài wǒ zhè zhī dà chuán shang　　zhǐ bù
么小的一只，在我这只大船上，只不

过像大象背上的小蚂蚁，一点也不打搅我。倒是看看这风浪，它对我这只大船一点也没有什么，对你那只小船就像狂澜一样，你那小船会被掀翻的。我说你还是待在这儿吧。"

尽管大大大看不起小小小，他的心眼其实倒不坏。小小小经他一劝，想想也不急着上哪儿去，先避避风浪也好，说声谢谢，就待下来了。

小小小闲着没事，就想把这只大船好好儿参观一下。他来到船舱口朝下一看，每级楼梯有他好多个人高，怎么下去呢？好在他出洋之前带了各种各样的探险用具。于是他到小船上把登山用的绳子拿来，把绳子在

注音版
大大大和小小小
历险记

楼梯上拴好，然后沿着绳子一直滑到舱底。

舱底就像个巨人宫殿，从龙骨的这一头到那一头，用他小人国的度量衡来说，不知有多少里哪！

他走着走着，忽然听见很刺耳的"叽叽嘎嘎"声。他于是顺着响声悄悄地跑过去。其实他这么小，即使不悄悄地跑过去也不会发出多大声音，现在他悄悄地跑过去，就等于没有声音了。

他跑了好大一会儿，这才来到发出声音的那个地方。一看，是个大洞穴，里面露出一条大蟒蛇的尾巴尖。洞口附近，啃下来的木屑堆积如山。这

么说，大蟒蛇是在啃大船的木壁了。

大蟒蛇会啃木头吗？真没有听说过。

小小小拔出腰间挂的护身宝剑，往那蟒蛇尾巴上狠狠地就是一剑刺下去。霎时间天昏地暗，木屑狂飞，洞里呼地蹿出一样东西。

蹿出来的可不是蛇，却是只大猛虎；也不是大猛虎，仔细一看，是只大老鼠！是只像大老虎那么大的老鼠，当然是从大人国来的老鼠。它在大人国的船上，准是太无聊了，于是用啃木头来锻炼它的牙齿。

大老鼠的尾巴挨了一剑，暴跳如雷，转身就向小小小猛扑过来。小小小赶紧用剑招架。他俩在飞舞的木屑

14

中你来我往，斗了足有半个时辰。

不知怎的，小小小的脑袋竟进了
大老鼠的血盆大嘴。也是他眼疾手快，
一下子把剑撑在大老鼠的上下腭之
间。老鼠一口咬下来，上腭让剑狠狠
地刺进去，插在那里，嘴没法闭，痛得

注音版
大大大和小小小
历险记

中国幽默儿童文学创作
任溶溶系列

它咆哮大叫，直翻跟头。

小小小趁机逃走，飞也似的奔回
舱洞底下，一把抓住垂下来的绳子，
像猴子似的嘟噜嘟噜直往上爬。到了
舱口，他翻身跳出船舱，直奔甲板，
来到大大大那里。

"不不不不不好了！"小小小上气
不接下气地对大大大说，"下下下面有
只大大大大老鼠在船壁木板上啃
洞，洞口已经啃得很大了。你快快快快
去杀死那只老鼠，补补补补好那个洞
吧！"

大大大侧着耳朵听，总算听明白
了小小小的话。他不慌不忙地抽了口
烟，笑着说："小老鼠那么小，能咬出多

16

大一个洞？这么大的船还怕一个小小的洞？哈哈哈，没关系，小事一桩，不必大惊小怪，让它去吧！"

老鼠给剑刺了上腭，就像我们让鱼刺刺了一样，送不了命；那把剑，也像鱼刺一样，迟早也会掉下来。它怎么把剑吐了出来，就别管它了，反正它活着没死。它活着没死少不了要继续啃洞。大大大说一个小小的洞没有关系，它到底有没有关系，请看下一回。

第三回
小洞不补的结果

话说这时候风平浪静，大大大舒舒服服地坐在那里掌舵，看看风景，哼哼小曲，抽抽烟斗，优哉游哉！小小小在他的那只小船里仔细检查，修理船具，准备继续他的长途旅行。老待在这只大船上，这算什么探险啊！

可小小小记挂着他那把剑。诸位总还记得，他那把剑正插在老鼠的嘴

里。有什么办法把剑取回来呢？总不能
到老鼠的嘴里把剑拔出来。可他忍不住
还是到船舱口朝舱底看。可舱底什
么也看不见，只听到"叽叽嘎嘎"的声
音又在响了，可见老鼠还在那里横行，
剑没法拿，他只好重新回来整理他的
小船。

他这么忍不住老是去看，最后在
舱底看到了水。这水是从哪儿来的？他
记得上回下去时没看见有水。

不要是老鼠把船壁板啃穿了？
他扭身就跑，一直跑到大大大那里，像
爬山一样爬到大大大的肩膀上，对着
他的耳朵大叫："不好了！舱底有水，会
不会是那只大老鼠把船壁板啃穿

19

了？"

大大大听了若无其事地说："唉，你这个小不点儿实在太小了，一点小事总是大惊小怪。试想这么大一只船在水上，里面有一点儿水算得了什么？船造得再结实，渗进一点水也是难免的。就算老鼠真啃穿了船壁，老鼠本来就小，老鼠的嘴就更小，那么小的嘴啃出来的洞能有多大呢？那么小的洞对这么大的船又能起什么作用呢？别瞎咋呼了，让它去吧！"

小小小又给大大大数落了一通，撅起了嘴，只好回到自己的小船上去忙活他自己的事。他气得忍住不再去看。可忍啊忍啊，最后还是忍不住，又

到舱口朝下看了一下，这一看可不好
了！大大地不好了！

船底已经成了一片汪洋，当
然，这是小小小说的汪洋，但水也是
够多的，至少它上面能漂着那只大老
鼠。它肚子朝天，嘴巴张大，已经死
了。小小小往它张大的嘴里看，却没
看见自己的剑。

水还在不断地上涨。船底进水
了！水一多，外面大浪把船一掀，船
可不就翻啦？

说时迟那时快，小小小再次飞也
似的跑去报告大大大。大大大还是在舒
舒服服地哼小曲，抽烟斗。他看见小小
小气急败坏地跑来，向他摇摇手说：

21

注音版
大大大和小小小
历险记

"得了得了，你这个小小小不点儿，又为了什么鸡毛蒜皮的小事情大惊小怪啦？"

"不好了，这一回真不好了！船底都是水，船底都是水！船会沉的！"

"胡说八道！就算老鼠啃出个洞，那么小的老鼠啃出来的一个小洞能进多少水……"

"我的老天爷，你别说废话了，赶紧自己去看看吧！下面都成汪洋了！"

"什么汪洋，你太小了，一个水坑对你来说也是汪洋大海……"

经不住小小小苦苦哀求，大大大只好搁下烟斗，懒洋洋地站起来，跟

中国幽默儿童文学创作
任溶溶系列

zhe xiǎo xiǎo xiǎo zǒu dào cāng kǒu　　tā cóng cāng kǒu wǎng cāng
着小小小走到舱口。他从舱口往舱
dǐ yī qiáo
底一瞧……

wǒ de lǎo lǎo lǎo lǎo lǎo tiān yé　　dà dà dà
"我的老老老老老天爷!"大大大
yī shí dà jīng shī sè　 zhè huí lún dào tā dà jiào le　 duì
一时大惊失色,这回轮到他大叫了。对
tā lái shuō zhè dāng rán bù shì wāng yáng　 kě jí shǐ bù shì
他来说这当然不是汪洋,可即使不是
wāng yáng yě zú gòu yào tā mìng de　 chuán dǐ de shuǐ zhèng
汪洋也足够要他命的。船底的水正
zài yuè lái yuè kuài de shàng zhǎng　　 zěn zěn zěn me bàn
在越来越快地上涨。"怎怎怎么办?
chuán yào chén le　 kě wǒ bù huì yóu shuǐ　 wǒ shì sǐ sǐ
船要沉了!可我不会游水。我是死死
sǐ sǐ dìng le
死死定了……"

dà dà dà huí tóu kàn kàn chuán wài máng máng de zhēn
大大大回头看看船外茫茫的真
zhèng wāng yáng　 gāng cái tā hái zài yōu zāi yóu zāi de hēng
正汪洋,刚才他还在优哉游哉地哼
xiǎo qǔ chōu yān dǒu　 zhè xià yǎn kàn jiù yào méi mìng le
小曲抽烟斗,这下眼看就要没命了
……

wǒ men lái xiǎng xiǎng bàn fǎ　　 xiǎo xiǎo xiǎo shuō
"我们来想想办法。"小小小说。
wǒ néng yǒu shén me bàn fǎ ne　 wǒ yī dìng méi
"我能有什么办法呢?我一定没

24

命了……"

"我来救你!"没想到小小小果断
地说了一句。

"你救我?"大大大瞪圆了哀伤
的眼睛,"你这么个小小小不点儿能救
我……救我这么大的人?哎哟哟,我的
老老老老老天……"

"船就要沉了,没工夫说废话
了。这么办,你用根绳子把头发扎住,
躺下来,把绳子的另一头给我,我有
办法。"

"我可没有心情和你开玩笑!哎哟
哟,我的……"他还没有把"老天爷"三
个字叫出来,船已经在晃动了。

"快!"小小小连忙去张罗他的

25

中国幽默儿童文学创作
任溶溶系列

xiǎo chuán
小 船 。

　　dà dà dà yǐ jīng liù shén wú zhǔ　　zhǐ hǎo zhào xiǎo
　　大 大 大 已 经 六 神 无 主 , 只 好 照 小
xiǎo xiǎo shuō de bàn
小 小 说 的 办 。

　　zhèng zài zhè shí hou　　yī gè dà làng pū lái　　chuán
　　正 在 这 时 候 , 一 个 大 浪 扑 来 , 船
yī cè shēn　　zhuǎn yǎn jiù wǎng xià chén
一 侧 身 , 转 眼 就 往 下 沉 ……

　　yào zhī dào dà dà dà zhè tiáo mìng bǎo de zhù bǎo bù
　　要 知 道 大 大 大 这 条 命 保 得 住 保 不
zhù qǐng kàn xià yī huí
住 , 请 看 下 一 回 。

第四回

大大大躺在大海上航行

　　话说大大大听到小小小告诉他船给老鼠啃出了洞，他认为小小一只老鼠啃出来的小小一个洞根本算不了什么。老鼠啃出来的洞确实很小，不过外面的海水先是慢慢地渗进来，但后来把洞越冲越大，最后"哗哗"地涌进来了，终于弄得船都要沉了。这真是"小洞不补，大洞吃苦"。偏偏大大大

注音版
大大大和小小小
历险记

27

中国幽默儿童文学创作
任溶溶系列

又不会游泳，这就不仅仅是吃苦的问题，眼看就要没命了。小小小虽说要救他，他可根本不相信这么小的小小小能救他，但已走投无路，也只好听小小小的话，用一根绳子把头发扎起来，躺在甲板上。

小小小一把抓住这根细绳子——对他来说就是根粗缆绳——的另一头，把它拴在他那只小船的船尾上，同时叮嘱大大大说：

"你现在在大船上仰面直挺挺地躺着，下了水也这么躺着一动别动。只要你不动，我想就能在水面上浮着。大木头那么重，不也能在水面上浮着吗？我的船在前面把你顺

28

水拖着走，你的脸朝天，就喝不到水了。"

大大大不相信小小小的小船能把他拖走，这有点像是笑话，可他只好乖乖地照办，躺在那里，吓得眼睛都闭上了，跟等死差不多。

"记住了，"小小小再次叮嘱说，"千万不要慌。水溅在脸上也不能动，身体歪了也不能动，吃了水也不能动……一动不动，像个死人一样就行了。我的船一到水里，就开足马力拖你。"

大大大紧闭眼睛在甲板上躺着，怎么水还不来呀？船沉下去也要有点工夫的。他忍不住睁开眼睛侧脸看

30

看，这时船在动，许多东西滚过来，他一眼看到滚到身边的烟斗和烟袋，赶紧把它们塞到胸前的口袋里。

这时候小小小坐在小船上也朝四面张望，一眼看见鸽子还关在笼里，它足有鸵鸟那么大。小小小飞也似的爬下小船，过去打开鸟笼，放出鸽子。接着他赶回来爬上小船。

他刚在小船上坐好，大船的甲板开始往水下沉了，小船浮了起来。小小小马上把他的小船开足马力，挺直身子躺着、一动也不动的大大大刚到水面上，已经在水上给拖走了。这都因为顺风顺水，再借着点小船拖力的缘故。

注音版
大大大和小小小
历险记

31

大大大闭上眼睛，就那么直挺挺地让小小小的船给拖着走，居然浮在水上，像仰泳似的。时间长了，他也摸到点水性，偶尔动动手腿，浮得越来越平稳、轻松，倒也十分舒服。他觉得越来越舒服了，甚至觉得十分得意。他干脆从胸前口袋里掏出烟斗，掏出火柴，点起烟斗就呼呼地抽起烟来。

现在谁要是远远看去，准以为是大洋上游着一条大鲸鱼呢。不过我们知道，大鲸鱼是向上喷水的，可这位大大大是向上喷烟。

大大大一面喷烟，一面又哼起了他新编的小曲：

piāo yáng guò hǎi qù tàn xiǎn　hū hū
漂洋过海去探险，呼呼，
zhè yàng de xiǎn zhēn shǎo jiàn　hū hū
这样的险真少见，呼呼，
duō kuī xiǎo xiǎo de xiǎo xiǎo xiǎo　hū hū
多亏小小的小小小，呼呼，
tā shì jiù wǒ mìng de hǎo péng you　hū hū hū
他是救我命的好朋友，呼呼呼！
dà dà dà chàng dào zhè lǐ　bù yóu de duì xiǎo xiǎo
大大大唱到这里，不由得对小小
xiǎo chōng mǎn gǎn jī zhī qíng　tā de yǎn jing méi yǒu bàn fǎ
小充满感激之情。他的眼睛没有办法
kàn dào shēn hòu de xiǎo xiǎo xiǎo　zhǐ hǎo zhí gōu gōu de kàn
看到身后的小小小，只好直勾勾地看
zhe wèi lán de tiān kōng shuō
着蔚蓝的天空说：
wǒ dāng chū duì nǐ tài bù zūn zhòng le　hū
"我当初对你太不尊重了……呼
hū　yǐ wéi nǐ nà me xiǎo　néng bāng wǒ shén me máng
呼……以为你那么小，能帮我什么忙
ne　hū hū　méi xiǎng dào nǐ néng bāng wǒ zhè
呢？……呼呼……没想到你能帮我这
me dà de máng　hū hū　wǒ jué bù gāi yīn wèi
么大的忙……呼呼……我绝不该因为
nǐ xiǎo jiù kàn bu qǐ nǐ　hū hū　zài shuō nǐ
你小就看不起你……呼呼……再说你
gào su wǒ lǎo shǔ kěn dòng　hū hū　wǒ yòu xiǎng
告诉我老鼠啃洞……呼呼……我又想
lǎo shǔ nà me xiǎo　néng kěn chū duō dà de dòng ne
老鼠那么小，能啃出多大的洞呢？……

33

没想到小洞变成了大洞，差点要了我的命……呼呼……我绝不该因为洞小就不当一回事……呼呼……"

他又抽烟斗，又哼小曲，又责备自己，但总的是为自己的性命能够保住而高兴，得意非常。哪里知道天有不测风云，一下子海水汹涌，他像在一个摇得太厉害的摇篮里给颠来颠去。他连忙把烟斗塞进胸前口袋。忽然一个巨浪扑来，他只来得及叫了一声："不好了！"就给掀得半天高，要落到水底下去了。

大大大上一个大难没死掉，这一个大难是不是能渡过呢，请看下一回。

34

第五回

大大大翻身落水

——不，翻身落地

话说大大大由小小小的船拖着在大洋上航行，就像一条小拖轮拖着一艘大轮船一样。大大大觉得倒也舒服，正在得意的时候，忽然一个巨浪扑来，他给掀得半天高，眼看就要沉到水里，就此一命呜呼。他一时慌了手脚，大叫一声："不好了！"同时不由自主地两脚乱撑，撑得鞋子也掉了。

注音版
大大大和小小小
历险记

35

tā zhè me liǎng jiǎo luàn chēng　yí　jiǎo pèng dào shén
他这么两脚乱撑，咦，脚碰到什

me la
么啦？

yī zhuǎn yǎn　　dà dà dà yǐ jīng zhuǎn guò shēn lái
一转眼，大大大已经转过身来

pā zài nà lǐ　　tā de jiǎo gāng cái pèng dào de yuán lái shì
趴在那里。他的脚刚才碰到的原来是

dì miàn　kě tā hái yǐ wéi shì zài dà yáng dāng zhōng ne
地面，可他还以为是在大洋当中呢！

zhǐ tīng jiàn qián miàn xiǎo xiǎo xiǎo zài dà jiào　　tóu bié
只听见前面小小小在大叫："头别

dòng　nǐ de tóu xiān bié dòng　　　hǎo le　nǐ de tóu
动，你的头先别动！……好了，你的头

kě yǐ dòng le
可以动了。"

dà dà dà yī xià zi guì qǐ lái　zhǐ jiàn xiǎo xiǎo xiǎo
大大大一下子跪起来，只见小小小

yǐ jīng bǎ shuān zài chuán wěi shang de shéng zi jiě kāi　yào
已经把拴在船尾上的绳子解开。要

shi bù jiě kāi　tā měng yī qǐ lái　　xiǎo xiǎo xiǎo de chuán
是不解开，他猛一起来，小小小的船

bù jiù lián tóng xiǎo xiǎo xiǎo yī qǐ gěi diào qǐ lái le ma
不就连同小小小一起给吊起来了吗？

dà dà dà guì zài nà lǐ　shuǐ dào tā jiān tóu de dì
大大大跪在那里，水到他肩头的地

fang　tā zhàn qǐ lái　shuǐ jiù zhǐ dào tā de tuǐ nàr　le
方；他站起来，水就只到他的腿那儿了。

hǎo jí le　lù dì dào le　nǐ kàn nà biān jiù
"好极了，陆地到了，你看那边就

36

是岸，下船吧！"

"不行不行，对你来说是陆地到了，可我还得航行许多许多里。你先去吧，我随后就到。"

"哈哈哈，你实在太小，到底不行。"大大大一下子又神气起来，"我也给你帮个忙吧，这么点路，省得你航行个半天了。"

他说着解下头上的绳子，把绳子一端交给小小小，让他拴到船头上。他牵了绳子就走，跟孩子在水潭里拖着一只玩具小船一样。

大大大如今把原先的担心害怕忘了个干净，得意扬扬地大踏步向岸边走，几分钟就上了海滩。他忽然听

37

见后面小小小在哇哇大叫：

"喂，停一停，停一停！"

大大大回头一看，只见小小小在他的小船上给颠得头昏脑涨。

"不能再拖了！你看，前面长着多少树木！"

"什么，树木？"大大大一听哈哈笑起来，"根本不是树木，是些草梗罢了。也好，就在这里歇一会儿吧，我顺便绞掉点衣服上的水。"

他说着抖他的衣服，水花飞溅起来。

"好极了，可以美美吃一顿，你瞧，多大的鲜鱼！"小小小说着跑过来，动手捉随着大大大身上的水花溅下来的活蹦乱跳的"大鲜鱼"。

39

dà dà dà bù jīn yòu hā hā xiào qǐ lái　shén me
大大大不禁又哈哈笑起来：什么

dà xiān yú　shì xiē jié jué bà le　tā zhè shí xīn qíng tè
大鲜鱼，是些子乛罢了。他这时心情特

bié hǎo　yīn wèi dì yī gè dà nàn méi yǒu sǐ　dì èr gè
别好，因为第一个大难没有死，第二个

dà nàn yě táo tuō le　yú shì tā yòu tāo chū yān dǒu xiǎng
大难也逃脱了。于是他又掏出烟斗想

chōu yān　kě xī yān cǎo huǒ chái dōu shī tòu le　méi fǎ
抽烟，可惜烟草火柴都湿透了，没法

chōu　zhēn sǎo xìng　bù guò hái kě yǐ biān chū gè xiǎo qǔ lái
抽，真扫兴。不过还可以编出个小曲来

chàng chàng
唱唱：

xiǎo xiǎo xiǎo　zhēn kě xiào
小小小，真可笑，

shuō xiǎo cǎo gěng shì dà shù
说小草梗是大树！

xiǎo xiǎo xiǎo　zhēn kě lián
小小小，真可怜，

shuō xiǎo jié jué shì dà yú
说小子乛是大鱼！

tā yuè chàng yuè wèi xiǎo xiǎo xiǎo de xiǎo gǎn dào kě
他越唱越为小小小的小感到可

xiào kě lián　wèi zì jǐ de dà gǎn dào dé yì zì háo bù
笑可怜，为自己的大感到得意自豪，不

dàn chàng　ér qiě bēng bēng bēng de tiào qǐ wǔ lái
但唱，而且嘣嘣嘣地跳起舞来。

40

他又唱又跳，又跳又唱，正在快活，忽然哇哇大叫起来："呜哇，呜哇！不好了，不好了！我的脚！"

他一个屁股墩坐在地上，双手抓住一只脚，呜哇呜哇大叫，都要哭出来了。他这只脚到底怎么啦，请看下一回。

41

第六回

小小小从大大大的脚板里拔出了一棵大树

话说大大大为小小小的小感到可笑可怜，也就为自己的大感到得意自豪，正在忍不住手舞足蹈的时候，忽然一下子跌坐在地上，双手抓住一只脚呜哇呜哇大叫，这只脚痛得他都要哭出来了。

他坐在那里把这只光脚看来看去，可脚上一点伤也没看出来，就是一碰就痛。糟啦，他没法站起来走路了。

"我可怎么办？"大大大叫道。

小小小连忙下船，走到他的身边，叫他把脚伸着别动。小小小从小船上拿来登山用具，在一根登山长绳上结了个套索，向上一抛，套索套住了大大大的中脚趾。

小小小噔噔噔爬到大大大的脚尖顶上，抓住绳子滑下来，悬在那里，像地质勘探员研究悬崖峭壁那样，一点一点地检查他的大脚板。大脚趾、二脚趾、中脚趾、四脚趾、小脚趾，都没事。脚板心，也好好儿的，可是……在脚板心靠近脚跟的地方怎么露

43

chu le shù gēn
出了树根？

xiǎo xiǎo xiǎo guān chá le yī xià shuō　dà dà dà
小小小观察了一下说："大大大，
nǐ bǎ yī kē shù cǎi dào nǐ jiǎo bǎn shang de ròu li qù
你把一棵树踩到你脚板上的肉里去
la
啦！"

shén me yī kē shù xiào hua wǒ néng bǎ yī
"什么？一棵树？笑话，我能把一
kē shù cǎi dào jiǎo bǎn shang de ròu li qù
棵树踩到脚板上的肉里去？"

duì shì kē shù yào bù wǒ zěn me kàn dào shù
"对，是棵树。要不我怎么看到树
gēn ne xiǎo xiǎo xiǎo shuō zhe yī bǎ zhuā zhù nà shù gēn
根呢？"小小小说着一把抓住那树根，
yòng lì yáo le jǐ xià
用力摇了几下。

āi yō āi yō bié bié bié hǎo tòng
"哎哟哎哟，别别别……好痛！
zhè bù shì shù shì gēn cì
……这不是树，是根刺！"

míng míng shì shù qiáo xiǎo xiǎo xiǎo yòu yào
"明明是树，瞧……"小小小又要
yáo shù gēn
摇树根。

hǎo ba hǎo ba jiù suàn shì shù kě zěn me bàn
"好吧好吧，就算是树，可怎么办
ne wǒ lián kàn yě kàn bù chū lái
呢？我连看也看不出来。"

"你看不出来,我可看得清清楚楚,一看树根就知道,还是大树呢。这么办,你别动,我来给你拔树。"

"真是笑话,是挑刺,不是拔树……"

"明明是树,你不信我来摇树根给你看……"

"好了好了,就算是拔树吧。只好请老弟给帮帮忙了。不拔掉它,我可没法走路啊!"

小小小仔细观察。原来大大大嘲笑小小小的时候,太高兴了,跳着跳着把脚狠狠地一顿,顿得过重,这棵树一直插到肉里,只露出点树根在外面,而且给皮微微包住。别说他看不见,就算

45

是看见了，他的大手指也无法夹住它。

可在小小小看来这棵树实在不小。他

用力抓住树根，把周围的皮轻轻拨

开，然后用双手把树狠狠地往外拉。

"哎哟哎哟！"大大大哇哇叫起来。

小小小停了手："到底拔不拔？"

"拔拔拔……"大大大连忙回答。

虽然痛，但是没有别的办法，只好咬紧

牙关忍住。

小小小也咬紧了牙关，用尽他的

力气使劲拉树。他汗水直流，为了救他

的朋友，他真是连吃奶的力气也使出

来了。等到树干一露头，因为树干是

光溜溜的，接下来倒也顺利，连树干

带树冠，呼的一下都拉出来了。

46

树"啪嗒"一声落到地上，一看，足有小小小的三个半人那么长。小小小紧接着也顺着绳子滑下来，上气不接下气。

"好了吗？我倒觉得舒服多了。"大大大闭着眼睛，还在咬紧牙关等着，什么也没有看见。

"好了！"小小小叫着回答，"瞧，这不是一棵大树？"

大大大一听小小小这声叫，睁开一只眼睛看看。"在哪里，在哪里？……"他顺着小小小的手指看，看到了，"嗨，是根刺！"

"还说是根刺哪！我为了拔这棵大树，都用了九牛二虎之力了！"

"别误会，别误会。我很感谢你。说实在的，对你来说这当然是棵大树，可是对我来说，你别生气，它依然是根小小的刺……不过虽然是根刺，却把我害苦了，要不是你给我拔了出来，我就会浑身不自在，连路也没法走了！它虽然是个小东西，却不可小看它。"

大大大高兴地抚摸着他的脚，就像我们被刺害苦了，可一拔掉又没事了一样，他马上又得意地站起来。

"哎呀，我也该弄点东西吃吃了。吃什么呢？"

大大大到底能吃到什么呢？请看下一回。

49

第七回
dì qī huí

鱼还没捉，先捉回鞋子
yú hái méi zhuō xiān zhuō huí xié zi

上回说到大大大脚板上的刺
shàng huí shuō dào dà dà dà jiǎo bǎn shang de cì

——也就是小小小说的大树——一给
yě jiù shì xiǎo xiǎo xiǎo shuō de dà shù yī gěi

拔掉，心情一好，肚子马上提出要求
bá diào xīn qíng yī hǎo dù zi mǎ shàng tí chū yāo qiú

——它要吃东西了。
tā yào chī dōng xi le

大大大望着大海，搔着后脑勺：
dà dà dà wàng zhe dà hǎi sāo zhe hòu nǎo sháo

弄点什么东西吃吃呢？有了，俗话说，
nòng diǎn shén me dōng xi chī chī ne yǒu le sú huà shuō

靠山吃山，靠水吃水，现在靠着水，就
kào shān chī shān kào shuǐ chī shuǐ xiàn zài kào zhe shuǐ jiù

捉鱼去！
zhuō yú qù

大大大回头对小小小说：“我要去捉鱼，你在这里等着。”

小小小说：“把我也带去吧，也许我能帮你一点忙。”

大大大老毛病又犯了，哼了一声说：“你小得像只虫子，能给我帮什么忙？”

“你忘了刚才我给你的脚板拔树啦？”小小小顶他说。

大大大有点脸红了：“好吧好吧，别啰唆了，我带你去。你乖乖地待在我的口袋里。”说着，他用两个指头把小小小拎起来，放进了左边的胸袋。

他正要走，小小小在他的左边胸袋里又叫了：“等一等，还有我的

51

chuán
船。"

"让它留在这里吧。"大大大不耐

烦地说。

"不行,它在这树林里,回头不好

找。"小小小坚持说。

"唉,真麻烦。那么点乱草,竟说

是树林……好吧,也放进我的口袋。"

他把小小小的船放进了他的右边胸

袋,"我真成个小娃娃了,满口袋是小

零碎!"

大大大几步就来到水边,手搭凉

棚往海上一看——他鱼还没看到,却

看到一样东西使他心花怒放。是什

么?就是他刚才在海边挣扎时丢掉的

一双鞋,正并排漂在水面上。就因

52

wèi bù chuān xié tā de jiǎo dǐ bǎn cái jìn le cì xiàn zài
为不穿鞋，他的脚底板才进了刺。现在

wú lùn rú hé děi bǎ xié nòng huí lái yào bù rán hái huì
无论如何得把鞋弄回来，要不然还会

jìn cì de
进刺的。

tā èr huà bù shuō pā dā pā dā jiù wǎng shuǐ li
他二话不说，啪嗒啪嗒就往水里

zǒu kě xiǎo xiǎo xiǎo dà jiào màn zhe qǐng xiān bǎ wǒ cóng
走，可小小小大叫："慢着，请先把我从

kǒu dai li tāo chū lái fàng zài àn shang nǐ kàn xié zi lí
口袋里掏出来放在岸上。你看鞋子离

àn nà me yuǎn děng nǐ qí xiōng mò dào shuǐ li de shí
岸那么远，等你齐胸没到水里的时

hou bù bǎ wǒ gěi yān sǐ le ma
候，不把我给淹死了吗？"

dà dà dà shí zài rěn wú kě rěn jiào nǐ zài nà
大大大实在忍无可忍："叫你在那

biān děng nǐ piān yào lái qiáo nǐ gěi wǒ tiān le duō shao
边等，你偏要来，瞧，你给我添了多少

má fan
麻烦？"

tā méi hǎo qì de cóng kǒu dai li tāo chū xiǎo xiǎo xiǎo
他没好气地从口袋里掏出小小小

fàng zài àn biān xiǎo xiǎo xiǎo hái jiào zhù tā ràng tā bǎ zì
放在岸边。小小小还叫住他，让他把自

jǐ de chuán yě tāo chū lái fàng xià
己的船也掏出来放下。

dà dà dà xiān shi pā dā pā dā jiē zhe shì pī
大大大先是啪嗒啪嗒，接着是噼

注音版
大大大和小小小
历险记

53

里啪啦，一直往水里走。水齐到他的

胸口，齐到他的脖子，齐到他的嘴巴

……直到他没法再向前走了，把手伸

出去，可鞋子离他还有一点儿距离。真

正是一点儿，手指尖都碰到了，就是

没法拿到手。要是他会游泳就好了，偏

偏他又不会。他拼命把手向前伸，可

没有用。大大大无可奈何，只好扫兴而

回。

　　"唉，就差一点儿，真是一丁点

儿，我都碰到鞋子的边了，只是没法拿

起来，真倒霉！"大大大咕噜说。

　　小小小在岸上都看在眼里了，冷

静地对他说："大大大，我倒有个办法。

这么办，你把我带去。"

"哼，你开什么玩笑？"大大大更生气了，"你有什么办法？难道你的手臂比我的长还是怎的？"

"你别管，只要把我带去，保管把你的鞋子弄回来。"

大大大反正没办法，就看看这小不点儿有什么鬼主意。他把小小小放在头顶上，重新回到水里，走到他再也没有办法向前走的地方。

"你把手尽量笔直地向鞋子伸去！"他头顶上的小小小命令他。

大大大照办，伸直了手，小小小从他的头顶上下来，顺着手臂向前跑，一直跑到最长的中指尖尖上。手指尖真碰到鞋子的边了。

55

nǐ bié dòng　wǒ zhè jiù wǎng xié zi shang tiào
"你别动，我这就往鞋子上跳！"

xiǎo xiǎo xiǎo shuō le yī shēng　yě bù děng dà dà dà huí
小小小说了一声，也不等大大大回

dá　yòng lì yī tiào　　zhèng hǎo tiào dào yī zhī xié zi
答，用力一跳——正好跳到一只鞋子

shang　jiù xiàng tiào dào yī zhī dà chuán shang shì de　zhǐ
上，就像跳到一只大船上似的。只

jiàn tā jiǎn qǐ yī gēn hěn cháng de xié dài　zài tóu shang
见他捡起一根很长的鞋带，在头上

转动着猛一甩，同时叫道："接住！"

大大大赶紧接住鞋带，连鞋子带小小小往回拉。也真是无巧不成书，另一只鞋子的鞋带正好搭在这只鞋子上，小小小一把抓住这根鞋带，于是两只鞋子都拉回来了。自然，它们都回到了大大大的脚上。

"把我带来你认为怎么样？"小小小侧着头，眨着眼睛问大大大。大大大的脸一下子通红。

如今鞋子捉回来，该捉鱼了。欲知大大大捉到鱼没有，请看下一回。

注音版
大大大和小小小
历险记

dì bā huí
第八回

xiǎo xiǎo xiǎo yǐn yú shàng mén
小小小引鱼上门

huà shuō dà dà dà chuān shàng le xiǎo xiǎo xiǎo bāng tā
话说大大大穿上了小小小帮他
nòng huí lái de xié zi jiù xiǎng zhuō yú tā yòu yī cì
弄回来的鞋子，就想捉鱼。他又一次
shǒu dā liáng péng cháo hǎi shang kàn miào zāi hǎi biān jiù yǒu
手搭凉棚朝海上看，妙哉，海边就有
yī tiáo yú zhè tiáo yú de qí lù zài shuǐ miàn shang xiàng
一条鱼。这条鱼的鳍露在水面上，像
qián shuǐ tǐng de qián wàng jìng yī yàng yīn cǐ tā yī yǎn jiù
潜水艇的潜望镜一样，因此他一眼就
kàn jiàn le
看见了。

kě shì dà dà dà zài zǐ xì dǎ liang yī xià mǎ
可是大大大再仔细打量一下，马
shàng jiù xiè le qì yú dào zhēn yǒu yī tiáo lí de yě
上就泄了气。鱼倒真有一条，离得也

58

近，可它再近也比刚才那两只鞋子还远一些。那两只鞋子他都捉不到，这条鱼就不用想了。真是一场空欢喜！

可就在这时候，有人敲了敲他的胸口。大大大低头一看，是小小小把头探出了胸前口袋，问他说："你看见那条鱼了吗？"

"当然看见了。"

"那你干吗还不去捉呀？"

"它比刚才那两只鞋子还远，我怎么够得着？"

小小小好像很有把握地说："我倒有个主意。"

大大大不禁哼了一声："你刚才弄鞋子的确有办法，佩服之至，可这一

huí bù tóng le　dì yī　tā bǐ gāng cái nà liǎng zhī xié zi
回不同了。第一，它比刚才那两只鞋子

yào yuǎn　nǐ tiào bù guò qù　dì èr　nǐ jiù suàn tiào guò
要远，你跳不过去；第二，你就算跳过

qù le yě méi yǒu yòng　tā méi yǒu xié dài　dì sān　tā
去了也没有用，它没有鞋带；第三，它

shì huó de　hái yóu lái yóu qù　bù bǐ xié zi piāo zài nà
是活的，还游来游去，不比鞋子漂在那

lǐ　bù dòng……"
里不动……"

　　　　hǎo jiù hǎo zài tā shì huó de　huì yóu lái yóu
"好就好在它是活的，会游来游

qù　xiàn zài fèi huà bù yào shuō le　nǐ jiù zhào wǒ gào su
去。现在废话不要说了，你就照我告诉

nǐ de bàn　xiǎo xiǎo xiǎo xià mìng lìng shuō　nǐ bǎ wǒ
你的办。"小小小下命令说，"你把我

fàng xià lái　wǒ zuò shàng wǒ de chuán　nǐ bǎ chuán yòng
放下来，我坐上我的船。你把船用

shǒu zhǎng tuō zhù dài dào hǎi li qù　zǒu dào nǐ zài yě méi
手掌托住带到海里去，走到你再也没

fǎ xiàng qián zǒu de dì fang　nǐ lián chuán bǎ wǒ fàng dào shuǐ
法向前走的地方，你连船把我放到水

miàn shang　hǎo　qí yú de wǒ lái bàn　nǐ jiù děng
面上……好，其余的我来办，你就等

zhe zhuō yú hǎo le
着捉鱼好了！"

dà dà dà gēn běn bù zhī dào xiǎo xiǎo xiǎo hú lu li
大大大根本不知道小小小葫芦里

mài de shén me yào　kě shì zì jǐ fǎn zhèng méi yǒu bàn
卖的什么药，可是自己反正没有办

fǎ jiù zhào xiǎo xiǎo xiǎo fēn fù de zuò le tā bǎ chuán
法，就照小小小吩咐的做了。他把船

lián tóng xiǎo xiǎo xiǎo tuō zài shǒu zhǎng xīn shang xià shuǐ yī
连同小小小托在手掌心上，下水一

zhí xiàng qián zǒu zǒu dào gāng cái zhuō xié zi de dì fang
直向前走，走到刚才捉鞋子的地方，

tíng xià lái bǎ shǒu bì jǐn liàng shēn zhí bǎ shǒu zhǎng wǎng
停下来，把手臂尽量伸直，把手掌往

shuǐ shang fàng xià qù chuán fú zài shuǐ miàn shang le
水上放下去，船浮在水面上了。

zhǐ jiàn xiǎo xiǎo xiǎo fā dòng jī qì bǎ chuán xiàng
只见小小小发动机器，把船向

nà tiáo yú nà lǐ kāi qù tóng shí dà shēng chàng
那条鱼那里开去，同时大声唱：

dà yú chī xiǎo yú
大鱼吃小鱼，

xiǎo yú chī xiā mi
小鱼吃虾米，

xiǎo yú xiā mi yī qǐ sòng shàng mén
小鱼、虾米一起送上门，

qǐng nǐ bié kè qi
请你别客气！

nà tiáo yú zhèng zài dǎ dǔnr hū rán tīng jiàn
那条鱼正在打盹儿，忽然听见

shēng yīn zhēng kāi méng lóng de shuì yǎn yī kàn zhēn shi lái
声音，睁开蒙眬的睡眼一看，真是来

le yī tiáo xiǎo yú xiǎo yú bèi shang hái yǒu yī zhī xiā mi
了一条小鱼，小鱼背上还有一只虾米。

61

tā dǎ le gè dǔnr　　dù zi li zhèng kōng zhe　　yú shì
它打了个盹儿，肚子里正空着，于是
dòng le dòng shēn zi　　　xiǎo xiǎo xiǎo yī jiàn tā dòng le
动了动身子……小小小一见它动了
dòng shēn zi　 mǎ shàng bǎ chuán guǎi wān lái le gè xiàng hòu
动身子，马上把船拐弯来了个向后
zhuǎn　 duì zhǔn dà dà dà chóng xīn bǐ zhí kāi huí lái　 yú
转，对准大大大重新笔直开回来。鱼
zài hòu miàn　 hū hū hū　 de jǐn zhuī
在后面"呼呼呼"地紧追。

xiǎo xiǎo xiǎo dà jiào　　 yú lái le　 kuài zhǔn bèi dòng
小小小大叫："鱼来了，快准备动
shǒu
手！"

yú zhēn de bǎ xiǎo xiǎo xiǎo hé tā de chuán kàn chéng
鱼真的把小小小和他的船看成

62

是虾米、小鱼正向岛上逃走，它于是闷着头，向这边"呼呼"地直冲而来……好，大大大一举手，鱼已经在他的手里了。这是条大鲨鱼，可在大大大的手里就像条鲭鱼那么大。它拼命挣扎，可事到如今，挣扎又有什么用呢！

大大大重新把小小小放进左边胸袋，把小小小的船放进右边胸袋，一只手抓住鱼，兴高采烈地回到岸上。

"好，我这就来烧鱼吃……哎呀不好，我浑身水淋淋，火柴是湿的……没有火，难道叫我生吃不成？生鱼我可没法吃！"

要知道大大大是不是只好生吃这条鱼，请看下一回。

63

第九回

火星可以燃成熊熊大火

话说小小小帮助大大大捉到了一条鲨鱼，大大大就想烧来吃，可是他的火柴湿透了，划不着，也就生不了火，生不了火就烧不了鱼，大大大又没法吃生的鱼，对着活蹦乱跳的鱼他只好干瞪眼。

这时小小小在地上踱来踱去，也在动脑筋。他猛地抬头对大大大说：

zhè jiàn shì hǎo bàn　　wǒ yǒu bàn fǎ
"这件事好办，我有办法。"

dà dà dà bù yóu de bǎ dèng zhe de dà yǎn cóng
大大大不由得把瞪着的大眼从

yú shēn shang zhuǎn dào jiǎo xià xiǎo xiǎo xiǎo de shēn shang
鱼身上转到脚下小小小的身上：

nǐ zhè xiǎo dōng xi néng yǒu shén me
"你这小东西能有什么……"

xiǎo xiǎo xiǎo zhī dào dà dà dà de lǎo pí qi　yě
小小小知道大大大的老脾气，也

bù děng tā shuō wán　　jiù shàng zì jǐ de chuán qù le yī
不等他说完，就上自己的船去了一

huìr　　xià chuán lái jǔ qǐ yī yàng dōng xi wèn dà dà
会儿，下船来举起一样东西问大大

dà　nǐ kàn zhè shì shén me
大："你看这是什么？"

dà dà dà bǎ yāo wān de hěn dī hěn dī　mī qǐ
大大大把腰弯得很低很低，眯起

yǎn jing zǐ xì de kàn　zǒng suàn kàn qīng chu le　　yī hé
眼睛仔细地看，总算看清楚了："一盒

huǒ chái　yī hé chāo chāo chāo chāo chāo chāo xiǎo xíng huǒ
火柴，一盒超超超超超超小型火

chái
柴！"

duì　yǒu le huǒ chái zì rán jiù yǒu huǒ　　xiǎo xiǎo
"对，有了火柴自然就有火！"小小

xiǎo huí dá shuō
小回答说。

ài　zhè hé huǒ chái jiù xiàng wǒ men de yī lì
"唉，这盒火柴就像我们的一粒

65

米，像一粒米那样小的一盒火柴里要装百把根火柴，一根火柴该细成什么样子？那么细的火柴划出来的一点火能有多大——就是一点小火星罢了。可你看这条鱼！那么小的一点火星能烧熟这么大的一条鱼吗？真是荒唐，滑稽！哈哈哈，哈哈哈！"不过他笑是笑，可一想到这么一尾鲜鱼到了手却吃不上，也就笑得歪嘴歪脸，像牙齿痛一样了。

"大大大，你听我说，"小小小一本正经地回答，"你听说过'星星之火，可以燎原'这句成语吗？不小心扔掉一个香烟头，能把一个大仓库烧个精光。火星也可以燃烧成熊熊大火

^{de}
的！"

"那你说怎么办？"

"还不明白，这里有干草，有干树枝，你把它们堆在一起，我来点点看。"小小小建议说。

"好吧好吧，就照你说的试试看。"大大大说着，"哗啦啦"地拔了两把干草，堆在一起，上面架上点干树枝。

小小小找一片薄干草叶，划了一根火柴去点，真让他点着了。先是一片干草叶接一片干草叶烧起来，最后"轰"的一声，一小堆干草烧起来了。小小小的眉毛和衣服差点都着了火，他赶紧躲开了。

67

huǒ cóng gān cǎo shāo dào le xiǎo shù zhī yòu cóng xiǎo
火从干草烧到了小树枝，又从小

shù zhī shāo dào dà shù zhī xiǎo huǒ xīng rán chéng le xiǎo
树枝烧到大树枝，小火星燃成了小

huǒ xiǎo huǒ rán chéng le zhōng huǒ dà dà dà lè de
火，小火燃成了中火……大大大乐得

bì bù lǒng zuǐ bù duàn wǎng huǒ duī shang jiā gān cǎo jiā
闭不拢嘴，不断往火堆上加干草、加

shù zhī
树枝。

zhōng huǒ yuè lái yuè wàng zhōng yú rán chéng dà
中火越来越旺，终于燃成大

huǒ dà huǒ rán chéng chāo chāo chāo chāo dà huǒ dāng
火，大火燃成超超超超大火——当

rán zhè shì zhào xiǎo xiǎo xiǎo de dà xiǎo guān niàn shuō de
然，这是照小小小的大小观念说的，

cóng dà dà dà lái shuō yī rán zhǐ shì yī duī xiǎo huǒ bù
从大大大来说依然只是一堆小火。不

guò yī duī xiǎo huǒ yě jiù gòu le yīn wèi duì tā lái shuō
过一堆小火也就够了，因为对他来说，

zhè tiáo shā yú yě bù guò xiàng qīng yú nà me dà tā lián
这条鲨鱼也不过像鲭鱼那么大。他连

máng bāi le yī gēn shù zhī chā zhù yú bǎ tā fàng zài huǒ
忙掰了一根树枝，叉住鱼，把它放在火

shang kǎo
上烤。

yī zhuǎn yǎn gōng fu jiù wén dào jiào dà dà dà chán
一转眼工夫就闻到叫大大大馋

xián yù dī de kǎo yú xiāng wèi yú róng yì shú hěn kuài jiù
涎欲滴的烤鱼香味。鱼容易熟，很快就

néng chī le
能吃了。

dà dà dà hé xiǎo xiǎo xiǎo zuò xià lái fēn yú chī
大大大和小小小坐下来分鱼吃。

bù yòng píng fēn dà dà dà bāi xià yī dīng diǎnr yú ròu
不用平分，大大大掰下一丁点儿鱼肉

gěi xiǎo xiǎo xiǎo xiǎo xiǎo xiǎo jiù zú gòu le ér qiě yī dùn
给小小小，小小小就足够了，而且一顿

chī bù liǎo liǎng dùn yě chī bù liǎo zú zú kě yǐ chī
吃不了，两顿也吃不了，足足可以吃

shàng yī gè xīng qī
上一个星期。

dà dà dà dà kǒu dà kǒu de chī zhèng chī de gāo
大大大大口大口地吃，正吃得高

69

注音版
大大大和小小小
历险记

xìng hū rán dà zuǐ ba zhāng kāi le zhí chuǎn qì yòng zhǐ
兴，忽然大嘴巴张开了直喘气，用指

tou zhǐ zhe zuǐ lǐ miàn shuō bù bù bù bù hǎo le
头指着嘴里面说："不不不……不好了

wǒ lián kǒu shuǐ yě méi fǎ yàn yú cì gěng
……我连口水也没法咽……鱼刺鲠

zhe wǒ de hóu lóng yī yàn kǒu shuǐ jiù tòng
着我的喉咙……一咽口水就痛……"

yào zhī dào dà dà dà de hóu lóng gěi gěng zhù le zěn
要知道大大大的喉咙给鲠住了怎

me bàn qǐng kàn xià yī huí
么办，请看下一回。

第十回
小小小到大大大的喉咙里去探险

大大大吃鱼，鱼刺鲠在喉咙里，连口水也不能咽，急得伸手去抠喉咙，可怎么也抠不着那根刺，真不知怎么是好。

大大大就那么张大了嘴巴，瞪着眼睛，坐在那里直喘气，痛苦极了。

"刚才脚板上有刺，现在喉咙里有刺，也没这么倒霉的！"他张大着嘴巴呻

注音版
大大大和小小小
历险记

71

吟说。

小小小猛地跳起来，爬上大大大的膝盖，再登上他的肩头，叫他把脸转过来。小小小对着他那像巨大岩洞似的大嘴巴，一直往舌根深处看了又看，可什么刺也没看见。

"好吧，我进去看看。"小小小说。

"哎呀，谢谢你，请你快点进去看看吧，我都受不了啦！"大大大张着嘴巴说话，声音听不清楚，可是响得震耳朵，"我平时好像从不咽口水，在这节骨眼上口水偏偏特别多，只想咽口水，可是一咽口水就痛。求求你，快一点！"

"我这就进去，你忍着点，千万别

72

咽口水……"小小小说着爬到大大大的
下嘴唇上，只见脚下是道深渊——就
是下嘴唇和下牙床之间的空隙。小
小小眼疾"脚"快，狠狠一跳，跳了过
去，跳到对面下牙床上，身子紧贴在
一颗牙齿旁边。

"快快快，不然我又想咽口水
了！"大大大难受地呻吟说。

"这样太危险了，"小小小心里
说，"万一我顺着舌头往里走，到了喉
咙口，他忽然忍不住咽口水了，不就把
我咽下去了吗？那时我怎么爬上来呢？
要是爬不上来，我就要到他的胃里，
再到他的肠子里，哎呀，那下场可就
太惨，太不光彩了！不行，这太危险

73

中国幽默儿童文学创作

任溶溶系列

le
了。"

xiǎo xiǎo xiǎo yī dòng nǎo jīn　　jì shàng xīn lái　　tā
小小小一动脑筋，计上心来。他

cóng kǒu dai li tāo chū yī shù shéng zi　　zài shéng tóu shang
从口袋里掏出一束绳子，在绳头上

dǎ gè tào suǒ　yòng lì wǎng shàng yī pāo　tào suǒ tào zhù
打个套索，用力往上一抛，套索套住

le yī kē jiān yá chǐ de dǐng duān　rán hòu bǎ tào suǒ chōu
了一颗尖牙齿的顶端，然后把套索抽

jǐn　tā zài yòng shéng zi de lìng wài yī tóu shù zhù zì jǐ
紧。他再用绳子的另外一头束住自己

de yāo
的腰。

zhè yàng jiù wěn tuǒ le　bù guǎn tā zěn me yàn
"这样就稳妥了。不管他怎么咽

kǒu shuǐ　zhǐ yào wǒ zhuā jǐn shéng zi　tā jiù bù néng bǎ
口水，只要我抓紧绳子，他就不能把

wǒ yàn dào dù zi li qù
我咽到肚子里去。"

tā yú shì fàng kāi sǎng zi　duì zuǐ wài miàn de dà
他于是放开嗓子，对嘴外面的大

dà dà　　yě bù néng shuō zuǐ wài miàn de dà dà dà
大大——也不能说嘴外面的大大大，

yīng gāi zěn me shuō ne　bié guǎn tā　fǎn zhèng tā duì dà
应该怎么说呢？别管它，反正他对大

dà dà jiào dào　nǐ bǎ zuǐ ba yǒu duō dà zhāng duō dà
大大叫道："你把嘴巴有多大张多大，

hǎo tòu diǎn guāng xiàn jìn lái ràng wǒ kàn qīng chu　hái yào jìn
好透点光线进来让我看清楚，还要尽

74

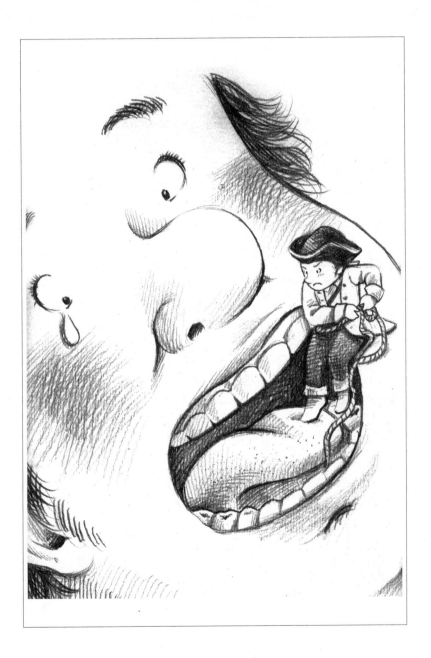

力忍住别咽口水，怎么也要忍住，记好了！"

他一面说一面顺着绳子登上牙尖，然后从高高的牙尖往下跳，落到舌头上。舌头是软的，从再高的地方跳下来也摔不伤。他像踩在橡皮的垫子上一样顺着舌头往里走，一路放绳子，紧紧抓住。

他走了很长的路，来到舌根那儿。他在那里向下张望了好一阵，还是看不到鱼刺。他跨过活动的小舌头，像下井一样顺着绳子下去。这里太暗了，他从口袋里掏出手电筒来照亮。一路下去时，他把喉咙壁仔细地看来看去。

正在这时候，忽然天昏地暗，天旋地转，他只感到一股洪水直涌过来，像落入了旋涡，洪水硬是要把小小小冲到深井下面去。

原来大大大把嘴巴张大了半天，口水越来越多，正像他自己说的，越不想有口水，口水偏偏多起来。最后忍不住，他不由自主地把嘴巴一闭，就咽了一口口水。他咽口水不要紧，可简直要把小小小送到他最受不了的地方去。幸亏小小小有先见之明，他紧紧抓住绳子，就悬在那里转来转去，死命挺住。

转眼间头顶上又大放光明：大大大重新把嘴张大了。

注音版
大大大和小小小
历险记

77

大大大着急地叫："小小小，对不起，你怎么样了？"

"真受不了……"小小小回答了一声，也没工夫去埋怨大大大，赶紧顺着绳子继续下去，一路上用手电筒照喉咙壁，仔细地察看。

他这样一面一点一点地下去，一面用手电筒照着看……咦，那是什么？

就在喉咙壁上露出一样东西，在手电筒的光里闪闪发亮！

到底是什么呢？小小小马上靠上前去仔细一看：原来是……

当然是鱼刺了，诸位一定会说。且慢，到底是什么，请看下一回。

dì shí yī huí
第十一回

xiǎo xiǎo xiǎo bèi kuáng fēng juǎn zǒu
小小小被狂风卷走

huà shuō xiǎo xiǎo xiǎo xiàng dēng shān yùn dòng yuán nà yàng
话说小小小像登山运动员那样
yòng shéng zi diào zhe dǎ kāi shǒu diàn tǒng zài dà dà dà
用绳子吊着，打开手电筒，在大大大
de hóu lóng li zhǎo yú cì zhǎo a zhǎo a tā zhōng yú
的喉咙里找鱼刺。找啊找啊，他终于
zài hóu lóng bì shang fā xiàn le yī yàng dōng xi shǒu diàn
在喉咙壁上发现了一样东西，手电
tǒng zhào shàng qù hái shǎn chū guāng lái xiǎo xiǎo xiǎo lián máng
筒照上去还闪出光来。小小小连忙
kào jìn yī kàn nà gēn běn bù shì yú cì ér shì yī gè
靠近一看，那根本不是鱼刺，而是一个
jiàn bǐng jiàn shēn zhěng gèr dōu chā zài hóu lóng bì li
剑柄，剑身整个儿都插在喉咙壁里
le
了。

注音版
大大大和小小小
历险记

79

说时迟那时快，小小小伸手握住剑柄，也不花多大力气就把剑拔出来了。一看，不正是他自己的剑吗？他当初在大大大的船舱里跟老鼠作战时用的那一把。当老鼠张大嘴吃他的时候，他就是用这把剑撑住它的嘴，这才脱身逃走了的。准是后来剑在海水里，鲨鱼把它当做闪闪发光的小鱼吞了下去，大大大吃鱼，这把剑就扎在他的喉咙里了。

小小小来不及多考虑，忙把剑往腰间皮带上一插，收好电筒，赶紧顺着绳子往上爬，爬到喉咙口，跳上舌根，顺着舌头往舌尖走。到了舌尖那儿，抓住绳子爬上牙尖，解开绳结又解开身上的绳子，就要往下爬……

然而就在这个时候，忽然一个晴天霹雳——阿嚏！小小小只觉得一股强烈的龙卷风把他卷起来，他"呼"的一下就给卷走了。

说实在的，这不是龙卷风，不过也跟龙卷风差不多——是大大大忍不住打了个大喷嚏！

大大大老半天张大了嘴巴，连口水也不能咽——当然，他忍不住咽了一次，口水差点儿没把小小小冲到他的肚子里去了——实在不好受，这时忽然觉得喉咙里的刺好像没有了，十分舒服，心想小小小一定大功告成，又帮了他一次大忙，救了他的命。

注音版
大大大和小小小
历险记

81

他正在庆幸，不知怎么回事，只觉得鼻子痒痒的。他开始拼命忍住，用手去捏住鼻子，可是越来越痒，忍无可忍，最后——阿嚏！小小小给那股狂风卷走，飞出他的大嘴巴，飞得无影无踪了。

大大大顾不上为喉咙里的刺被拔掉而高兴，急着要找到飞走了的小小小。但见眼前茫茫一片荒滩，上哪儿去找他呢？他不住地大声叫："小小小！小小小！"可听见的只是"哗哗"的波涛声。

大大大一面叫一面想："我一个喷嚏打出去，小小小只能随着我这个喷嚏的方向向前飞走，既不可能向

82

左飞，也不可能向右飞，更不可能向后飞。还算好，我这个喷嚏没有向着大海打，要不然他就飞到大海里去了。对，我就对着我这个喷嚏的方向一直走，一路走一路找……"

大大大就这么办。不过他不是一路走而是一路爬，因为小小小太小，离远了会找不到，一路爬一路找更保险。小小小辛辛苦苦地为他冒险到喉咙里去拔刺，而他一个喷嚏把他打得不见了踪影，他觉得又抱歉又难过。他就这样一路爬一路找，一路找一路叫：

"小小小！你在哪里？"

大大大顺着打喷嚏的方向找，这个主意一点也不错。他爬了一阵，只听到一个很微弱的声音传来："大大大，我在这里！大大大，我在这里！"

大大大顺着这细小的叫声找去，可是在地面上哪儿也看不见小小小。他竖起耳朵仔细听，这声音像是从地底下发出来的。

不错，这声音是从地底下发出来的。小小小的声音怎么会从地底下发出来呢？请看下一回。

第十二回
大大大想起个东方故事

话说大大大顺着自己打喷嚏的方向，一路爬一路找被他的喷嚏卷走的小小小，最后听到地底下传来小小小微弱的叫声："大大大，我在这里！"

小小小的叫声从地底下传出来，发出这叫声的小小小自然就得在地底下。小小小的确是在地底下，他怎么会在地底下的呢？

<ruby>大<rt>dà</rt></ruby><ruby>大<rt>dà</rt></ruby><ruby>大<rt>dà</rt></ruby><ruby>趴<rt>pā</rt></ruby><ruby>在<rt>zài</rt></ruby><ruby>发<rt>fā</rt></ruby><ruby>出<rt>chū</rt></ruby><ruby>声<rt>shēng</rt></ruby><ruby>音<rt>yīn</rt></ruby><ruby>的<rt>de</rt></ruby><ruby>地<rt>dì</rt></ruby><ruby>方<rt>fang</rt></ruby><ruby>附<rt>fù</rt></ruby>

<ruby>近<rt>jìn</rt></ruby><ruby>来<rt>lái</rt></ruby><ruby>回<rt>huí</rt></ruby><ruby>看<rt>kàn</rt></ruby><ruby>了<rt>le</rt></ruby><ruby>半<rt>bàn</rt></ruby><ruby>天<rt>tiān</rt></ruby>，<ruby>看<rt>kàn</rt></ruby><ruby>到<rt>dào</rt></ruby><ruby>一<rt>yī</rt></ruby><ruby>道<rt>dào</rt></ruby><ruby>很<rt>hěn</rt></ruby><ruby>窄<rt>zhǎi</rt></ruby><ruby>的<rt>de</rt></ruby><ruby>石<rt>shí</rt></ruby><ruby>头<rt>tou</rt></ruby>

<ruby>缝<rt>fèng</rt></ruby>。<ruby>这<rt>zhè</rt></ruby><ruby>道<rt>dào</rt></ruby><ruby>缝<rt>fèng</rt></ruby><ruby>对<rt>duì</rt></ruby><ruby>他<rt>tā</rt></ruby><ruby>来<rt>lái</rt></ruby><ruby>说<rt>shuō</rt></ruby><ruby>很<rt>hěn</rt></ruby><ruby>窄<rt>zhǎi</rt></ruby>，<ruby>对<rt>duì</rt></ruby><ruby>小<rt>xiǎo</rt></ruby><ruby>小<rt>xiǎo</rt></ruby><ruby>小<rt>xiǎo</rt></ruby><ruby>来<rt>lái</rt></ruby>

<ruby>说<rt>shuō</rt></ruby><ruby>就<rt>jiù</rt></ruby><ruby>宽<rt>kuān</rt></ruby><ruby>得<rt>de</rt></ruby><ruby>足<rt>zú</rt></ruby><ruby>以<rt>yǐ</rt></ruby><ruby>让<rt>ràng</rt></ruby><ruby>他<rt>tā</rt></ruby><ruby>咕<rt>gū</rt></ruby><ruby>噜<rt>lū</rt></ruby><ruby>噜<rt>lū</rt></ruby><ruby>地<rt>de</rt></ruby><ruby>落<rt>luò</rt></ruby><ruby>到<rt>dào</rt></ruby><ruby>里<rt>lǐ</rt></ruby><ruby>面<rt>miàn</rt></ruby>

<ruby>去<rt>qù</rt></ruby><ruby>了<rt>le</rt></ruby>。<ruby>他<rt>tā</rt></ruby><ruby>当<rt>dāng</rt></ruby><ruby>时<rt>shí</rt></ruby><ruby>被<rt>bèi</rt></ruby><ruby>大<rt>dà</rt></ruby><ruby>大<rt>dà</rt></ruby><ruby>大<rt>dà</rt></ruby><ruby>的<rt>de</rt></ruby><ruby>喷<rt>pēn</rt></ruby><ruby>嚏<rt>tì</rt></ruby><ruby>吹<rt>chuī</rt></ruby><ruby>得<rt>de</rt></ruby><ruby>在<rt>zài</rt></ruby>

87

空中滴溜溜地旋转着直往前飞。要是这个喷嚏打得再大一点，他就可以落到这道石头缝的那边；要是这个喷嚏打得小一点，他就可以落到这道石头缝的这边。可是这个喷嚏打得不大不小，小小小落下来正好是在这道石头缝里。

这道石头缝在海边一块岩石上。大大大的一个手指头还能插进去，一只手就伸不进去了。缝很深，他的手指头插不到底，也就够不到小小小，要不然小小小可以抱着他的手指尖给救上来。偏偏这又是石头缝，用手掰不开，得用凿子凿。可哪来的凿子呢？就算有凿子，要把这道缝凿得能让大大大把他那么大的手臂伸进去，试问又得凿多少时候？而且万一掉下去一块石头屑，对小小小来说就是泰山压顶了，反正不行！

大大大趴在地面上往缝里看，里面黑咕隆咚的什么也看不见。

"小小小，你在里面没事吧？"大大大朝缝里问。

"事倒没事，就是上不去。我刚才掉下来，从地面到这里足足掉了一刻多钟才到底，你说有多深！幸亏下面是厚厚的残叶，要不我早摔死了。我在下面是一点办法也没有，而且又在空中飞，又摔到这里，我头昏眼花，一点力气也没有了。你在上面有什么办法

注音版
大大大和小小小
历险记

89

néng ràng wǒ shàng qù ma
能让我上去吗?"

zhè huí ràng wǒ lái xiǎng xiǎng bàn fǎ　　dà dà dà
"这回让我来想想办法。"大大大

shuō　xiǎo xiǎo xiǎo yī cì yòu yī cì jiù le tā　gāi lún dào
说。小小小一次又一次救了他,该轮到

tā lái jiù xiǎo xiǎo xiǎo le
他来救小小小了。

dà dà dà yòng shǒu tuō zhù liǎn jiá pā zài nà lǐ
大大大用手托住脸颊趴在那里,

kàn zhe shí tou fèng　pīn mìng zài dòng nǎo jīn
看着石头缝,拼命在动脑筋。

dà dà dà xiǎo shí hou yī dìng shì gè yòng gōng xué
大大大小时候一定是个用功学

sheng　yīn wèi tā xiǎng a xiǎng a　hū rán xiǎng qǐ
生,因为他想啊想啊,忽然想起……

wǒ jì de　　duì le wǒ jì de zài wǒ de
"我记得……对了,我记得在我的

xiǎo xué èr nián jí yǔ wén kè běn li yǒu yī piān kè wén
小学二年级语文课本里有一篇课文,

shuō de shì yī gè dōng fāng gù shi　shì dōng fāng nǎ ge guó
说的是一个东方故事。是东方哪个国

jiā de gù shi ne　fǎn zhèng shì gè hěn yuǎn hěn yuǎn de guó
家的故事呢?反正是个很远很远的国

jiā　gù shi shuō nà lǐ yǒu jǐ ge hái zi zài yuàn zi li
家。故事说那里有几个孩子在院子里

wán pí qiú　zhèng wán de gāo xìng　āi yā　pí qiú luò dào
玩皮球,正玩得高兴,哎呀,皮球落到

shù xià yī ge dòng li qù le　dòng hěn shēn　pí qiú wā
树下一个洞里去了。洞很深,皮球挖

bù chū lái yào wā hái shi kě yǐ wā de nà shì ní
不出来——要挖还是可以挖的，那是泥
dì bù bǐ xiàn zài zhè shí tou fèng xiān bù guǎn zhè ge
地，不比现在这石头缝，先不管这个
dà jiā zhèng méi bàn fǎ jí de tuán tuán zhuàn zhè
——大家正没办法，急得团团转，这
shí hou yǒu yī gè hái zi zhè hái zi zài shū shang shì
时候有一个孩子——这孩子在书上是
yǒu míng yǒu xìng de jiào shén me lái zhe jì bù qǐ lái
有名有姓的，叫什么来着？记不起来
le xiàn zài yě bù guǎn zhè ge fǎn zhèng tā hěn cōng
了。现在也不管这个，反正他很聪
míng xiǎng chū le yī gè bàn fǎ jiù shì wǎng dòng li guàn
明，想出了一个办法，就是往洞里灌
shuǐ pí qiú gēn zhe shuǐ fú shàng lái le
水，皮球跟着水浮上来了……"

xiǎo xiǎo xiǎo dà dà dà wǎng shí tou fèng li jiào
"小小小，"大大大往石头缝里叫，
wǒ yǒu bàn fǎ le wǒ wǎng shí tou fèng li guàn shuǐ dōng
"我有办法了。我往石头缝里灌水。东
fāng yǒu yī gè guó jiā nà lǐ yǒu gè hái zi hěn cōng míng
方有一个国家，那里有个孩子很聪明，
tā jiù shì wǎng dòng li guàn shuǐ ràng pí qiú fú shàng lái de
他就是往洞里灌水让皮球浮上来的
……"

bù xíng bù xíng wǒ yòu bù shì pí qiú xiǎo xiǎo
"不行不行，我又不是皮球！"小小
xiǎo zài xià miàn huí dá
小在下面回答。

91

大大大想想也是，小小小不是皮球，小小小在水里万一支持不住，会给淹死的。

"得让他能浮在水上才行。"大大大继续动脑筋。

"有了！小小小，有办法了！"大大大一下子高兴得跳起来。

诸位能想出他有什么办法吗？请大家在下一回看看你们想的和他想的是不是一样。

93

第十三回

这一回是大大大救了小小小

小小小落到了石头缝里出不来，大大大想起一个东方故事：有个聪明孩子把水灌进洞里，让落在洞里的皮球浮起来，可小小小不是皮球，怎么让他浮起来呢？

大大大想着想着忽然有了主意。

他摸摸胸前的右边口袋，里面不是放着小小小的那只船吗？他一下子高兴

得跳起来：“小小小，有办法了！”

他掏出小小小的船，趴在地上

对石头缝里的小小小说：“我把你的

船扔下来，你坐在船上，水一点一

点升高，船也一点一点升高，你不就

出来了吗？”

"好了好了，我已经坐在船上了，现在放水吧！"可小小小紧接着在石头缝底下又叫起来，"不过你灌水的时候另找个地方，别对着我灌，水像大瀑布那样往我头上泼下来，我可受不了。"

从石头缝到海边，大大大走上几步就到。他从怀里掏出顶帽子盛水，来回走了几次，就把石头缝灌满了水。水涨船高，小小小的船跟着浮上水面。还没等他动手把船开到石头缝边上，大大大一弯腰已经将他连人带船抓起来，放在地面上。

"谢谢你，大大大，是你救了我的命。"小小小抬头说道。

“这不算什么，你帮我拔了鱼刺，我还没有谢你哪。”这一回大大大变得很谦虚，“我看这里实在待不下去，还是想想办法，看怎么能离开这个岛吧。”

“一点不错。我有船可以离开。就算我没有船，我在这个岛上还可以学学鲁滨孙，因为我人小，这里的水果和鱼够我吃的。你就不同了，个子实在太大，吃得实在太多。我记得古代的恐龙为什么绝种，就因为它们太大，吃得太多，食物都来不及供应的缘故。”

“哎哟哟，我要像最后一只恐龙那样完蛋了！”大大大一想到绝了种的恐龙，顿时脸色发青，像打雷一样

wā wā dà jiào
哇哇大叫。

nǐ xiān bié jí   xiǎo xiǎo xiǎo ān wèi tā shuō
"你先别急,"小小小安慰他说,
wǒ men shì rén   bù shì kǒng lóng   wǒ men huì xiǎng chū bàn
"我们是人,不是恐龙,我们会想出办
fǎ de   wǒ men hái shi bǎ zhè ge dǎo hǎo hāor   zhēn chá
法的。我们还是把这个岛好好儿侦察
yī xià   kàn zěn me néng lí kāi zhè lǐ   nǐ kàn páng biān jiù
一下,看怎么能离开这里。你看旁边就
shì zhè ge dǎo de gāo shān dǐng   wǒ men pá shàng qù jiù kě
是这个岛的高山顶,我们爬上去就可
yǐ kàn dào quán dǎo le
以看到全岛了。"

dà dà dà yī tīng jué de yǒu lǐ   tā bǎ xiǎo xiǎo
大大大一听觉得有理。他把小小
xiǎo fàng jìn xiōng qián kǒu dai   jǐ bù lái dào shān qián   kuài
小放进胸前口袋,几步来到山前,快
bù zǒu shàng gāo shān   jiào tā gāo shān shì yī zhe xiǎo xiǎo xiǎo
步走上高山。叫它高山是依着小小小
de shuō fǎ jiào de   zài dà dà dà kàn lái   tā zhǐ bù guò
的说法叫的,在大大大看来,它只不过
shì gè tǔ gāng zi   zhuǎn yǎn jiān dà dà dà yǐ jīng shàng
是个土冈子。转眼间大大大已经上
dào tā de dǐng
到它的顶。

tā lái dào zhè tǔ gāng zi de dǐng shang dī tóu huán
他来到这土冈子的顶上低头环
gù   dàn jiàn xià miàn bì bō wàn qǐng   tài yáng zhào yào zhe
顾,但见下面碧波万顷,太阳照耀着

98

的大海美丽极了。他正想开口赞美这绝妙景致，没想到脚下一滑，他像滑滑梯一样向山脚滑下去了……

要知道大大大这一滑滑到了什么地方，请看下一回。

99

第十四回

最后一次遇险

话说大大大在山顶上脚一滑，像滑滑梯一样从山上一直滑下来，也没滑多大工夫，砰，倒也停住了。

大大大坐起身子抬头一看，原来是在一个坑里。这个坑说它深倒也不深，可坏了大事啦！怎么呢？大大大站起身子，坑比他的个子要高，他尽力往上跳，手还是够不到坑边。这个坑的石壁光溜溜的，手没法攀，脚没处踩，他可怎么爬出去呀？

这时候小小小从他的口袋里钻出来，噔噔噔爬到大大大的头顶上，在那上面拼命往上跳，也还是看不见坑上面的情形。倒是高高的坑边悬着一棵灌木，可离他还远着呢。

大大大这回又像打雷一样哀叫起来："哎哟哟，没办法了，这回我真要像最后一只恐龙那样完蛋了！玩儿完了！"

小小小却很镇静地说："事到如今，叫也没用，还是想办法要紧。"

"还能有什么办法？我这么大都没有办法，你那么小……"大大大一想

101

注音版
大大大和小小小
历险记

这话不该说，就没把话说完，只是继续哀叫，"哎哟哟，玩儿完了，我要像最后一只……"

小小小打断他的话说："大大大，你把手举起来，让我站在你的手心上看看。"

大大大马上伸直手臂，把小小小高高地托起来，可小小小离开坑边还是远得很。

"完蛋了！玩儿完了！"这一回大大大更加伤心，"我要像最后一只恐龙那样完蛋了！我要像最后一只……"

小小小不听他的，抬起头看着上面的坑边，只管想他的。忽然他叫起来："我们来试试看！"

大大大马上停了口。

"这么办，"小小小说，"你把手举起来，再把食指举起来，我站到你的食指尖上。然后你尽力往上跳。等你一跳到最高的地方，我马上从你的手指尖上尽力往上跳，这样就大大增加了我们的高度。不过你注意跳的方向，要让我跳上去抓住坑边那棵树。"

"好，事到如今，就照你的办法试试吧。"

大大大高高举起他的手，再高高伸直他的手指，小小小赶紧爬上他的手指尖端站稳。接着大大大用尽力气向上一跳，就在他跳到最高处时，小小小赶紧从他站着的大大大的手指尖

shang jiù shì yòng jìn lì qì zài xiàng shàng yī tiào
上就势用尽力气再向上一跳……

chéng gōng le xiǎo xiǎo xiǎo zhè me hěn hěn de xiàng
成功了!小小小这么狠狠地向

shàng yī tiào zhèng hǎo gòu dào le kēng biān nà kē guàn mù
上一跳,正好够到了坑边那棵灌木

de zuì xià miàn yī gēn shù zhī de jiān jiān tā lián máng yī
的最下面一根树枝的尖尖。他连忙一

bǎ zhuā zhù diào zài nà lǐ suí jí háo bù chí yí yī
把抓住,吊在那里,随即毫不迟疑,一

个翻身上了树枝，顺着树枝爬上树干，再顺着树干爬向坑边……

他终于爬到了坑外面。可他朝四周一看：哎呀，坏了，真个儿是玩儿完了！为什么坏了呢，请看下一回。

注音版
大大大和小小小
历险记

第十五回
dì shí wǔ huí

快乐的结尾
kuài lè de jié wěi

上回说到小小小站在大大大举
shàng huí shuō dào xiǎo xiǎo xiǎo zhàn zài dà dà dà jǔ

起的手指尖上，趁大大大跳到最高处
qǐ de shǒu zhǐ jiān shang chèn dà dà dà tiào dào zuì gāo chù

时，就势向上一跳，居然抓住了坑边
shí jiù shì xiàng shàng yī tiào jū rán zhuā zhù le kēng biān

一棵灌木垂下来的树枝，爬出了坑。可
yī kē guàn mù chuí xià lái de shù zhī pá chū le kēng kě

到坑上面一看：哎呀，坏了！
dào kēng shàng miàn yī kàn āi yā huài le

"这是个石坑，没有办法在坑里
zhè shì gè shí kēng méi yǒu bàn fǎ zài kēng li

挖条通道出来。"小小小对坑里的大大
wā tiáo tōng dào chū lái xiǎo xiǎo xiǎo duì kēng li de dà dà

大说。
dà shuō

"那就真完蛋了，玩儿完了！我要像最后一只恐龙那样完蛋了！"大大大这回真正绝望了，"我要像最后……"

就在这时候，小小小抬头一看：那是只什么大鸟？是只鸽子，是只很大的鸽子！是只大人国的鸽子！"瞧那鸽子，不就是在你的船快沉下去那会儿我给放出来的吗？"小小小惊喜地对下面的大大大说。

"什么？我船上的鸽子？那是我儿子养的信鸽，"大大大抬起头说，"我儿子叫我把它带来，它认识回家的路，有什么信可以由它传递……真是那只鸽子吗？"

107

"没错，是它。它下来了……对，我可以骑着它飞向你的大人国去报信。"

"好是好，可他们来晚了，我还不是要像最后一只……"

这时候小小小已经骑上鸽子飞

108

起来，向下面大声说："放心等着吧，我快去快回！再见！"

这当然是大大大的儿子养的鸽子。它用最快的速度向大人国飞去。小小小只听见耳边风声呼呼地响。他手里握着他那把宝剑，万一路上碰到凶禽他也不怕。

鸽子顺利地到达了目的地，降落在一座木头大宫殿里。这原来是屋顶上的一个鸽子箱。下面街上的人已经看见鸽子飞来，紧接着就听见一群巨人惊天动地般爬上楼梯——都是些大人国的孩子。

"瞧我这鸽子多棒，爸爸把它放回来了！"带头上楼的一个孩子说着，

注音版
大大大和小小小
历险记

109

zǒu guò lái pěng qǐ gē zi　xiǎo xiǎo xiǎo yī tīng jiù zhī dào
走过来捧起鸽子。小小小一听就知道

tā shì dà dà dà de ér zi　lián máng pǎo dào gē zi de
他是大大大的儿子，连忙跑到鸽子的

tóu dǐng shang　hǎo ràng dà jiā kàn jiàn　tā gǎn jǐn bǎ dà
头顶上，好让大家看见。他赶紧把大

dà dà yù xiǎn de shì yī wǔ yī shí de gào su le tā men
大大遇险的事一五一十地告诉了他们。

jiù bà ba qù　dà dà dà de ér zi jiào dào
"救爸爸去！"大大大的儿子叫道，

mǎ shàng jiù bà ba qù
"马上救爸爸去！"

jiù dà dà dà bó bo qù　qí tā de hái zi
"救大大大伯伯去！"其他的孩子

gēn zhe dà jiào
跟着大叫。

zhè ge jīng rén xiāo xi lì kè hōng dòng quán chéng
这个惊人消息立刻轰动全城，

shì zhǎng mǎ shàng pài le yī sōu kuài chuán chū fā　xiǎo xiǎo
市长马上派了一艘快船出发。小小

xiǎo zài chuán shang zuò zài dà dà dà de ér zi de xī gài
小在船上坐在大大大的儿子的膝盖

shang　gē zi zài tiān shàng dài lù　chuán shùn fēng shùn shuǐ
上，鸽子在天上带路。船顺风顺水，

gē zi dài lù zǒu liǎng diǎn zhī jiān zuì zhí de yī tiáo lù
鸽子带路走两点之间最直的一条路

xiàn　tā men hěn kuài jiù lái dào le nà ge dǎo
线，他们很快就来到了那个岛。

xiǎo xiǎo xiǎo dāi zài dà dà dà de ér zi de jiān bǎng
小小小待在大大大的儿子的肩膀

中国幽默儿童文学创作
任溶溶系列

上当向导,带着大家上山。到了坑那里,大人国的一位叔叔从坑边伸下手去,一把就将大大大拉上来了。就这么简单!

大大大要上船回大人国去了,他请救他命的小小小上他家去做客。可小小小说他要继续航海,跟大家告了别,坐上他的船,兴高采烈地走了。

大大大在他后面流着泪叫道:"谢谢你,小小小!祝你一路平安!我回去做好准备,也要再出来航海的。我们一定会重新见面。再——见!"

大大大回到大人国自有一番热闹。他这一次航海遇了不少险,已经有很多冒险故事可以讲给小朋友们听。

可是最值得讲的是：

世界上有大也有小，
可别以为小就不重要。
大大大的船为什么会沉到水中，
只因为他太不注意小洞。
大大大一次次遇难成祥，
全亏有小小小给他小小的帮忙。
世界上有大也有小，
大也重要，小也重要。

注音版
大大大和小小小
历险记

113

只求一生快乐
zhǐ qiú yī shēng kuài lè

小时最爱《济公传》，不爱看《红楼梦》
xiǎo shí zuì ài jì gōng zhuàn bù ài kàn hóng lóu mèng

我四岁启蒙。一清早四五点钟就被家
人从床上拖起来，头上盖一块包袱皮，堂
兄抱着我到老师家里去。先向孔老夫子叩
头，再向老师叩头。老师给我取了一个学名叫
"任干强"，还教了我几句三字经：扬名声，
显父母，光于前，垂于后。

114

我的前一辈读书是从旧学开始,在我那一辈已经提倡新学,但我在广州老家读了三年私塾,进小学一年级的时候,我已经会用文言文写文章了。

我不识字前读了大量连环画,等到识字后,看了很多章回小说,小时最爱《济公传》,大概我小时就爱滑稽。

小学时读四大名著,不爱看《红楼梦》,我对婆婆妈妈的东西不感兴趣。《三国演义》也是一定要诸葛亮出来之后才好看,看到诸葛亮归天我就不看了。

我发现一个问题,读那些翻译过来的书,译者翻译得越卖力,我读得越吃力。我读罗念生的《希腊喜剧》和《希腊悲剧》,一字一句地读得特别认真,结果上了当,越读越糊涂。

115

因为它的注解特别多特别长，而且全都在书的后面。我前翻翻后翻翻，读了注解就忘了故事里面讲的什么。

翻译儿童文学要感谢迪斯尼

我现在也很惊讶自己翻译了那么多书，不过这是因为我翻译的都是很薄的儿童读物，人家的一本书，我可以变成100本。

当时，我从上海大夏大学毕业后，有一个编《儿童故事》的同学知道我搞翻译，就向我约稿。我跑到外文书店去买书，看到迪斯尼出的书，觉得它们画得太美了，我就买回来，陆续翻译，越译越觉得有意思，我很感谢迪斯尼。

116

1949年后，我就好像成了儿童文学的专门人才，但在六十年代前我翻译的一直都是苏联儿童文学。我觉得苏联儿童文学还是很有成绩的，因为苏联儿童文学的创建有一个很好的开山祖，就是高尔基。

最得意的是翻译了《木偶奇遇记》

我感到最得意的一件事是翻译了《木偶奇遇记》，我非常喜欢这本书。你说儿童文学没有教训，这本书里全是教训，比如：病了要吃药，不吃药会死掉，死了抬出去；不能说谎话，说了鼻子要长长……但是它的故事太有趣了。

从事儿童文学工作，对我一生是最大

注音版
大大大和小小小
历险记

117

的幸运。我的性格深刻不了，干别的工作不会
像做儿童文学工作那样 称心如意。我爱看
喜剧，越来越不喜欢看悲剧。悲剧可能 更接近
现实吧，但让别人去写悲剧吧，那不关我的
事，我总希望 团圆。尤其是给孩子看的书，
还是让美好多一些吧。苦难他们 将来会受的，
不要让他们小时候就对人生 充满恐惧感。

我不想返老还童，现在的小孩子没有
我小时候快乐，被管得太死了，各种 功课我
想 想都害怕。现在每个孩子好像都要 成
龙，哪有那么多龙?我觉得一生 就要快乐点。

珍藏相册

ZHENCANGXIANGCE

1937 年,小学要毕业了

● 1935 年,读小学四年级,一看就是个小广东

1980 年到菲律宾访问 ●

● 20 世纪 80 年代,编《外国文艺》杂志

- 1987 年在小读者当中

- 2003 年参加宋庆龄儿童文
  学奖颁奖典礼

- 2006 年 10 月在浙江

- 2005 年在广州购书中
  心和小读者见面

图书在版编目（CIP）数据

大大大和小小小历险记/任溶溶著. —杭州：浙江
少年儿童出版社，2012.4（2012.7重印）
　　（中国幽默儿童文学创作·任溶溶系列：注音版）
　　ISBN 978-7-5342-6791-8

　　Ⅰ.①大…　Ⅱ.①任…　Ⅲ.①汉语拼音-儿童读物
Ⅳ.①H125.4

中国版本图书馆 CIP 数据核字（2012）第 012536 号

中国幽默儿童文学创作·任溶溶系列（注音版）

大大大和小小小历险记

任溶溶/著

选题策划	孙建江
责任编辑	陈力强
美术编辑	周翔飞
封面设计	小飞侠
插　　图	钟彧工作室
责任校对	冯季庆
责任印制	林百乐

浙江少年儿童出版社出版发行
地址：杭州市天目山路 40 号
网址：www.ses.zjcb.com
富阳美术印刷有限公司印刷
全国各地新华书店经销
开本 880×1230　1/32
印张 4　插页 4
字数 51000
印数 20001－25000
2012 年 4 月第 1 版
2012 年 7 月第 2 次印刷
ISBN 978-7-5342-6791-8
定价：10.00 元
（如有印装质量问题，影响阅读，请与承印厂联系调换）